Coquin de silence !

Édouard Manceau

Albin Michel Jeunesse

Aujourd'hui, Jim est arrivé à toute vitesse,
avec la sirène de sa voiture de police à fond !
Wouhouhouhouhou !

Scotty le chien est venu le rejoindre.
Ouaf, ouaf, ouaf, ouaf !

Vroum, vroum, vroum !
Bradley est arrivé sur sa moto.
Qu'est-ce qui se passe ? a-t-il demandé.

Mais oui enfin, cui cui cui, qu'est-ce
qui se passe ici ? a dit Andy le canari.

Je recherche le silence depuis ce matin, a répondu Jim le policier. Est-ce que vous pensez qu'il se trouve ici ?

Oh non, je ne crois pas que le silence
se trouve ici... a dit Bradley.

Je vais aller chercher par là
avec ma moto. Si je le trouve,
je crierai très fort pour vous prévenir…

Moi, je vais de ce côté-ci, a dit Andy.
Si je le trouve, je crierai aussi.

Viens, Scotty! Repartons nous aussi
à toute vitesse pour essayer
de dénicher le silence.
Ouaf, ouaf, ouaf, ouaf!
Wouhouhouhouhou!

Mais à peine Jim et Scotty sont partis
que le silence est arrivé.

Et pile au moment où ils sont revenus,
il est reparti ! C'est vraiment trop bête !

Wouhouhouhouhou!
Cui cui cui!
Ouaf, ouaf, ouaf, ouaf!
Vroum, vroum!
Mais où es-tu caché,
coquin de silence?

À mon ami Pierre Guilloux.

© 2017, Albin Michel Jeunesse – 22, rue Huyghens, 75014 Paris – www.albin-michel.fr
Loi 49956 du 16 juillet 1949 sur les publications destinées à la jeunesse
N° d'édition : 22581 – Dépôt légal : 1er semestre 2017
ISBN : 978 2 226 39676 1 – Imprimé en France par Pollina s.a. - L79793